아기를 돌본 파루미라

글, 그림●로저 캅데빌라 이 볼스
Roser Capdevila i Valls

부릉 부릉 타타타탓…….

기린 파루미라는 오토바이를 무척 좋아합니다.

마을에 영화를 보러 갈 때도, 친구를 만나러 갈 때도,

음악회에 갈 때도, 여행을 갈 때도 항상 오토바이를 탑니다.

부릉 부릉 타타타탓…….

"하지만 내가 날마다 놀고만 있는 건 아니에요."

오늘 파루미라는 일자리를 구하러 가는 중이거든요.

"내게 꼭 알맞은 일을 찾아야겠지."

부릉 부릉 타타타탓…….

"덤프 트럭 운전은 나한테 어려울 거야.
'60층 빌딩의 창문 닦기'는 안 돼 안 돼, 무서워……"
파루미라가 신문을 보며 일거리를 찾고 있는데,
마침 학교에 가던 친구가 일러 주었습니다.
"그 문제라면 레오나르 아저씨를
만나 보는 게 좋을 거야."
"지금 아기를 돌볼 사람을
찾고 있나 봐."
"이 새끼 고양이도
데려가 줄래?"

"레오나르 아저씨네서 아기를 돌볼 사람을
찾고 있다……. 이 얼마나 반가운 소식인가!
나한테 꼭 맞는 일일 거야.
왜냐고? 내가 얼마나 아기를 좋아하는데."
파루미라는 멋진 옷과
귀여운 앞치마를 만들었습니다.
"레오나르 아저씨네 아기와 만날 일이
너무 즐거워."

"제가 아기를 돌볼 파루미라입니다. 호호호···호호."
레오나르 아저씨 댁을 방문한 파루미라는 깜짝 놀랐습니다.
왜냐고요? 레오나르 아저씨네 아기는 전부 몇이나
될 것 같아요?
"이 아이들을 제가 다 돌봐야 하나요?"
"너무 그렇게 놀라지 않아도 돼요, 파루미라.
우리 아이들은 무척 순하고 착하거든요."

8

정말일까 ?

이 많은 사람이
어떻게 다 산담.

10

아기 돌보는 일이 시작되었습니다.
책을 읽어 주거나, 그림 그리는 걸 도와 주거나,
가장 어린 아기를 안아 주거나……
그것도 전부 둘씩이었습니다.
"아이쿠, 큰일이네, 그림 물감이……"
너무 바빠서 눈이 핑핑 돌 지경입니다.

그 다음 차례는 목욕입니다.
옷을 벗기는 것만도 큰일이었습니다.
"다음 차례는 누구지?
한꺼번에 둘씩 씻도록 해."

옷 입히기
힘들겠는데.

점심 때가 되었습니다.
"옳지, 그래, 많이 먹어.
더 먹는 것은 자유니까."
"………."
"내가 만든 음식맛이 어떻지?"
"………."
"대답이 없는 걸 보니 맛있나 보구나."

그저 그런데!

낮잠 시간입니다.

♪ 잘자라 착한 아기들아

깊이 깊이 잠들거라.♪

파루미라는 바이올린을 켜면서 노래를 부릅니다.

"아, 나까지 졸려 오는데.

하지만 참아야지, 참아야 해."

낮잠에서 깨면 산책이지요.

"저쪽 길로 꾸부러져요, 파루미라."

"이쪽 길로 꾸부러지지 말고요, 파루미라."

"저 언덕을 올라갔다 내려가서, 또 올라가야 해요."

"이 길로 똑바로…가지 말아요, 파루미라."

모두 데리고 산책을 한다는 건, 아, 너무 힘들어.

"도대체, 이 아이들이 가고 싶은 곳이 어디야?"

"어떻게 된 거야? 그런 얼굴을 하다니, 파루미라."

"왜 그렇게 힘이 없어 보이니, 파루미라?"

학교에서 돌아온 친구에게 파루미라가 말합니다.

"맞았어, 이제 알았지 뭐니.

나한테는 이 일이 너무 어려운 것 같아."

"딱하기도 하지, 파루미라. 어떻게 해 줘야겠구나."

"그래, 그래, 좋은 수가 있다."

친구들은 마을의 가라쿠터노 아저씨 가게로 갑니다.

"낡은 욕조랑 너덜너덜 해진 매트리스 좀 주세요."

"그리고 이 낡은 타이어도요."

"도대체 이런 것들을 무엇에 쓸려고 그러니?"

"굉장히 좋은 걸 만들 거예요."

"그렇지만 그건 아직 비밀이거든요."

"글쎄, 무엇을 만들려고 그러지?"
하루 일을 마치고 돌아온 파루미라에게
친구들이 말합니다.
"이것은 우리들의 선물이야.
예쁘게 칠을 해서……."
"타이어 나사를 조이면 돼."
"조금만 기다려, 파루미라."

자, 산책 자동차 친구호 출발.

마을 안은 온통 부릉 부릉 타타타탓. 멋지다 멋져.

얼마나 즐거운 산책이란 말인가!

파루미라는 더 이상 피곤하지 않았습니다.

파루미라가 말합니다.

"산책으로 날마다 즐겁게 되었네."

부릉 부릉 타타타탓…….

WORLD PICTURE BOOK

아기를 돌본 파루미라

어린이 여러분께

여러분, 스페인의 바르셀로나라는 도시를 아시는지요? 바르셀로나는 오래된 건축물들로 유명한 도시입니다. 그 외에도 여러 가지 볼 것들이 있지요. 눈같이 하얀 고릴라도 있고, 낡고 보기 드문 집들이 늘어선 산책거리도 있지요.

그런 도시에서 파루미라는 제일 좋아하는 오토바이를 타고 돌아다니는 거예요. 여러분도 파루미라처럼 똑똑한 기린이 아이를 돌보아 준다면 기쁘겠지요? 그렇지만 너무 힘들게 해선 안 된답니다.

글, 그림●로저 캅데빌라 이 볼스
(Roser Capdevila i Valls)

■ 1939년 스페인에서 태어나다.
■ 마샤나 학원 미술과를 마치다.
■ 우표 디자이너를 거쳐 그림 동화 작가가 되다.
■ 스페인에서 많은 그림 동화를 펴내다.

World Picture Book ⓒ1985 Gakken Co., Ltd. Tokyo.
Korean edition published by Jung-ang Educational Foundation Ltd. by arrangement through Shin Won Literary Agency Co. Seoul, Korea.

■ 발행인 / 장평순　■ 편집장 / 노동훈
■ 편집 / 박두이, 김옥경, 이향숙, 박선주, 양희숙, 김수열, 강혜숙
■ 제작 / 이해덕, 문상화, 장승철
■ 발행처 / 중앙교육연구원 (주) (서울시 종로구 관철동 258번지)
　　대표전화 / 735-9600, 등록번호 / 제2-178호
■ 인쇄처 / 갑우문화주식회사 (서울특별시 영등포구 양평동 1가 119번지)
■ 제본 / 태성제책(주) (서울특별시 구로구 가리봉동 505-13)
■ 1판 1쇄 발행일 / 1988년 12월 30일, 1판 16쇄 발행일 / 1996년 10월 20일
■ ISBN 89-21-40223-3, ISBN 89-21-00003-8(세트)